Henriette Wich

Das Zauberhaus

Mit Bildern von Carola Sieverding

Ravensburger

Bibliografische Information der Deutschen Nationalbibliothek:

Die Deutsche Nationalbibliothek verzeichnet diese Publikation
in der Deutschen Nationalbibliografie.
Detaillierte bibliografische Daten sind im Internet
über http://dnb.d-nb.de abrufbar.

9

Ravensburger Leserabe
© 2016 Ravensburger Verlag GmbH
Postfach 24 60, 88194 Ravensburg
Umschlagbild: Carola Sieverding
Konzept Leserätsel: Dr. Birgitta Reddig-Korn
Design Leserätsel: Sabine Reddig
Printed in Germany
ISBN 978-3-473-36495-4

www.ravensburger.de
www.leserabe.de

Inhalt

Keine Angst vor schwierigen Wörtern! Sie werden dir im Glossar auf S. 56/57 erklärt.

Das geheimnisvolle Foto

Ja, es stimmt. Das, was Noah im Sommer erlebt hat, ist ganz schön verrückt. Manche werden es vielleicht nicht glauben, andere schon. Am besten liest du die Geschichte und entscheidest selbst.

Alles fing damit an, dass am Samstagmorgen Noahs weißes Kaninchen verschwand. Noah hatte es nach dem Frühstück auf den Tisch gesetzt und mit dem Zauberhut zugedeckt. Dann war er duschen gegangen. Als er aus dem Bad zurückkam, war nur noch der Zauberhut da.

„Hast du Quirin gesehen?", fragte Noah seine Schwester.

Juli lag mit dem Bauch auf dem Teppich und las ein Märchenbuch.

Das Kinderzimmer, das Noah und Juli sich teilten, war nicht viel größer als ein Handtuch.

„Hm? Nein ...", murmelte Juli und blätterte eine Seite um. Sie hatte gar nicht richtig zugehört.

Hatte etwa Mama das Kaninchen geklaut? Manchmal bekam sie plötzlich einen Rappel und räumte das Kinderzimmer auf. Noah sah sich um. Nein, dafür lagen zu viele Sachen herum.

Aber wo steckte Quirin bloß? Das weiße Kaninchen verschwand nicht einfach so. Das passierte nur, wenn Noah Mama, Papa und Juli einen neuen Zaubertrick vorführte. Später würde seine Familie Eintritt für seine berühmten Zaubershows zahlen müssen. Jetzt hatten sie Glück und

durften noch umsonst zusehen.

„Quirin, wo bist du?", rief Noah.

Das weiße Kaninchen antwortete nicht.

Es sah zwar verblüffend echt aus, aber es
war ein Plüschtier und konnte leider nicht
sprechen. Vielleicht war Papa kurz im
Kinderzimmer gewesen und hatte Quirin
geklaut? Er versteckte gerne Sachen,
einfach so zum Spaß.

Noah blieb nichts anderes übrig: Er musste Quirin suchen. Noah stieg über Julis Beine und machte seine Zauberkiste auf. Nur Luftballons, Bälle und Kreisel. Kein Quirin. Im Regal war das weiße Kaninchen auch nicht. Keine Spur von Quirin. Am Schluss robbte Noah sogar unter das Stockbett. Dort fand er nur Staubwolken, ein vertrocknetes Gummibärchen und sein Matheheft. Noah tauchte wieder auf und klopfte sich den Staub aus den Haaren. Dabei legte er den Kopf in den Nacken und entdeckte Julis zottelige, blaue Monsterpuppen. Sie saßen wie Hühner auf der Stange oben im Bett. Eine Monsterpuppe sah anders aus. Sie hatte weißes Fell.

„Juli!", rief Noah empört. „Du hast mich angelogen. Du hast Quirin ja doch geklaut!"

Seine Schwester klappte ihr Buch zu.
„Ich hab ihn nicht geklaut, ich hab ihn
bloß ausgeliehen für ein Spiel mit meinen
Puppen."

„Du hättest mich vorher fragen müssen."
„Du fragst mich ja auch nie, wenn du
meine Legosteine nimmst", gab Juli
zurück.
„Stimmt gar nicht!"
„Stimmt schon!"
„Nein!"
„Doch!"

Mama kam ins Zimmer. „Warum streitet ihr denn schon wieder? Geht lieber in den Garten. Die Sonne scheint."

„Gute Idee", sagte Noah. „Hier ist es sowieso viel zu eng. Da kriegt man ja kaum Luft." Er warf Juli einen wütenden Blick zu, schnappte sich seinen Fußball und dampfte ab.

Im Flur klapperten die Deckel der Briefkästen. „Hallo Noah!", begrüßte ihn die Postbotin. „Heute habt ihr viel Post bekommen."

Der Briefkasten war so voll, dass Noah
die Briefe einfach so herausziehen konnte.
Lauter langweilige Rechnungen und eine
Architektur-Zeitschrift für Mama. Aber
da war noch etwas, eine bunte Postkarte
mit einem Foto! Neugierig sah Noah sich
die Vorderseite an. Auf dem Foto war ein
altes, verwinkeltes Haus abgebildet, mit
kunterbunten Wänden und einem schiefen
Kamin. „Ab sofort zu vermieten" stand auf
der Rückseite, darunter die Straße mit
Hausnummer.
Noah drehte die Karte um, aber er konnte
keinen Absender finden. Und keine
Briefmarke. Seltsam!

Wer auch immer die Postkarte eingeworfen hatte, konnte anscheinend Gedanken lesen. Mama und Papa suchten nämlich schon länger nach einem Haus. Auch ihnen war die Wohnung zu klein. Doch es war gar nicht so einfach, etwas zu finden. Die guten Häuser waren zu teuer, die anderen meistens alt und hässlich. Das Haus auf dem Foto war zwar auch alt, aber es sah toll aus! Noah vergaß den Fußball. Und er vergaß, dass er eigentlich wütend auf Juli war. Noah rannte zurück in die Wohnung und zeigte seiner Schwester die Postkarte. Julis Augen fingen an zu leuchten. „Komm!", sagte sie. „Da radeln wir jetzt hin."

Nachts, wenn keiner schläft

In echt war das Haus noch toller! Die vordere Mauer war grün gestrichen, die Seitenmauern gelb und die Rückseite blau. Die Dachziegel schimmerten rosa.

Juli lehnte ihr Fahrrad an den Zaun.
„Weißt du, woran mich das erinnert?
An ein Zauberhaus aus meinem
Märchenbuch."
„Du immer mit deinen Märchen!", zog
Noah seine Schwester auf.

Mit sieben hatte er auch noch Märchen
gelesen. Jetzt war er neun und fand
Bücher über Zauberer und fantastische
Kreaturen tausendmal spannender.
Noah und Juli schlossen ihre Räder an den
Zaun und gingen zum Tor. Es war offen,
an der Klingel stand kein Name. „Ich
glaube, hier wohnt niemand", sagte Noah.

„Keine Gardinen an den Fenstern. Wollen wir uns mal den Garten ansehen?"

Juli nickte. Noah ging voraus. Sein Herz klopfte ganz schnell, als er durch das hohe Gras lief. Eine dicke Hummel brummte an seinem Kopf vorbei und flog zielstrebig zum Haus. Noah und Juli folgten ihr.

Noah spähte durch ein kleines Fenster neben der Haustür. Er sah eine gemütliche Wohnküche mit einem Kachelofen. „Hier ziehen wir ein!", sagte er zu Juli.

Seine Schwester grinste. „Ich bin dabei. Jetzt müssen wir nur noch Mama und Papa überzeugen."

„Das wird schwer werden", befürchtete Noah.

Erwachsene rechneten immer mit dem Schlimmsten. Dass bei so einem alten

Haus das Dach einstürzte oder die
Fenster nicht dicht waren, zum Beispiel.
Aber Noah hatte sich getäuscht. Als sie
später Mama und Papa das Foto zeigten,
verliebten sich die Eltern sofort in das
Haus.
Gleich am nächsten Tag besuchten sie
die Vormieter. Sie hießen Schmitt und
schüttelten sorgenvoll die Köpfe.
„Seien Sie bloß vorsichtig!", warnte Herr
Schmitt. „In dem Haus spukt es."
Seine Frau stimmte ihm zu. „Ja, dort
treiben sich nachts Geister herum!"
Mama lächelte. „Lieb von Ihnen, dass Sie
sich um uns Sorgen machen. Aber wir
werden schon zurechtkommen."
„Es gibt keine Geister und Gespenster",
sagte Papa energisch.
Noah und Juli zwinkerten sich heimlich
zu. Wenn Papa sich da mal nicht täuschte!

Zwei Wochen später, am ersten Tag der
Sommerferien, zogen sie ein. Die Männer
vom Umzugsunternehmen schleppten die
schweren Möbel ins Haus.
„Wo soll denn der Bauernschrank hin?",
fragte einer der starken Männer.
„In unser Schlafzimmer", sagte Mama.
Der Mann grinste schief. „Tut mir leid, aber
der Schrank passt nicht mal durch die Tür.
Das Schlafzimmer ist zu klein."

Papa schüttelte den Kopf. „Das kann nicht sein! Wir haben alles ganz genau ausgemessen."

Doch der Mann von der Umzugsfirma hatte Recht. Der Bauernschrank passte wirklich nicht ins Schlafzimmer. Und auch einige andere Möbel waren zu groß für die Zimmer, in denen sie eigentlich stehen sollten.

Papa sah richtig unglücklich aus. „Das verstehe ich nicht."

Mama tröstete ihn. „Sei nicht traurig, Schatz! Vielleicht haben wir ja falsch gemessen. Als wir hier waren, habe ich auch gedacht, dass die Zimmer größer sind."

Und so kam es, dass der Bauernschrank im Flur aufgestellt wurde und die Wohnzimmerkommode in der Küche landete. Die anderen Möbel wurden irgendwie auf die größeren Zimmer verteilt. Es war alles ziemlich chaotisch. Noah und Juli fanden es super. Endlich war es zu Hause nicht mehr so ordentlich! Aber das Beste war, dass sie endlich eigene Zimmer bekamen. Noahs Zimmer hatte zwei Fenster zum Garten und war hell und groß. Die blaue Tapete mit den Sternen und Planeten gefiel ihm auch total gut. Die war genau richtig für Noah, den Zauberer!

Es wurde spät, bis alle Möbel und Kisten im Haus waren, und noch später, bis es Abendessen gab. Noah war todmüde, als er ins Bett fiel. Er machte die Augen zu, aber plötzlich war er viel zu aufgeregt, um gleich einzuschlafen. Noah lauschte in die Nacht hinein. In einem Rohr rauschte Wasser. Der Wind strich um die Fenster. Es klang, als würde jemand leise singen. Plötzlich hörte Noah noch etwas: ein Rumpeln von oben! Schob da jemand einen schweren Schrank? Aber Mama und Papa waren doch schon im Bett! Es wurde kurz still. Dann lief jemand schnell hin und her. Noah zog die Bettdecke bis zur Nasenspitze hoch. Wer konnte das sein? Etwa ein Geist?

Ein Wunsch wird wahr

„Klopf, klopf, klopf!", machte es an Noahs
Tür.

Noah zuckte zusammen. „Wer ist da?",
fragte er mutig.

„Ich bin's, Juli!" Seine Schwester kam
herein, mit einer ihrer Monsterpuppen
unter dem Arm. „Hast du das Rumpeln
auch gehört?", flüsterte sie. „Ich hab
Angst."

„Du brauchst keine Angst haben", flüsterte
Noah zurück. „Komm, hier ist noch Platz
für dich."

Juli schlüpfte zu ihm ins Bett. Gemeinsam lauschten sie. Erst war es still, aber dann fing das Rumpeln wieder an.

„Das kommt vom Dachboden", sagte Juli leise.

Noah nickte. „Ich glaub auch. Wir sollten mal raufgehen und nachsehen, aber nicht jetzt. Erst morgen, wenn es hell ist."

„Gute Idee." Juli atmete tief durch. „Wenn es hell ist, hab ich keine Angst."

Noah wachte früh auf und ging zu Mama
und Papa in die Küche. Er erzählte ihnen
von den Geräuschen. Mama wuschelte
kurz durch seine Haare. „Ja, wir haben
auch was gehört, aber das waren keine
Gespenster! Mach dir keine Sorgen,
Noah. In so einem alten Haus knarrt und
rumpelt öfter mal was."
„Vielleicht müssen wir ein paar alte Rohre
austauschen lassen und die Elektrik
erneuern", sagte Papa. „Ich kümmere
mich darum. Aber jetzt gibt es erst mal
Frühstück. Wer mag Pfannkuchen?"
„Ich!", rief Noah.

Mama deckte den Tisch. „Schade, dass die Küche so klein und dunkel ist."
Noah setzte sich auf die Eckbank und lehnte sich zurück. Mama hatte Recht. Es wäre wirklich toll, wenn die Küche ein bisschen größer und heller wäre. Er konnte es sich richtig gut vorstellen. Noah machte die Augen zu und sah, wie er mit Mama, Papa und Juli in der neuen Küche Fangen spielte. Alle hatten Spaß und lachten. Als Noah die Augen aufmachte, war sein Wunsch in Erfüllung gegangen!

Mama blinzelte. „Seht nur, die Sonne kommt raus! Jetzt sieht die Küche gleich viel größer und freundlicher aus."

„Ja, das stimmt." Papa brachte Noah den ersten Pfannkuchen. „Lass ihn dir schmecken!"

Es duftete herrlich. Noah liebte Pfannkuchen, besonders zum Frühstück, aber er konnte ihn nicht gleich essen. In seinem Kopf wirbelten zu viele Gedanken herum. Es lag nicht an der Sonne. Die Küche war wirklich größer geworden!

Wie war das nur passiert? Das war echt verrückt.

Noah schaufelte Apfelmus auf seinen Pfannkuchen. Sollte er Mama und Papa davon erzählen?

Lieber nicht. Sie würden ihm bestimmt nicht glauben.

Da kam Juli in die Küche. „Guten Morgen!" Sie rutschte zu Noah auf die Eckbank. „Ich will auch Pfannkuchen!" Noah aß schnell auf. Er wollte etwas ausprobieren. Während die anderen

weiter frühstückten, lief er allein durchs
Haus. Noah wünschte sich, dass auch das
Wohnzimmer größer wurde. Es klappte!
Bei den Schlafzimmern und den anderen
Räumen auch. Noah konnte zaubern,
ohne Zauberbuch und Zauberstaub!
Einfach so, mit seinen Gedanken. Es war
so wunderbar und verrückt, dass er es
immer noch nicht richtig glauben konnte.
Noah lief in die Küche zurück. In der Tür
blieb er erschrocken stehen. Oh nein!
Die Küche war wieder geschrumpft! Der
Zauber wirkte anscheinend nur für kurze
Zeit.
„Spielen wir jetzt oben?", fragte Juli und
zwinkerte Noah verschwörerisch zu.
„Gleich", sagte Noah. „Vorher muss ich dir
noch was zeigen."
Neugierig ging Juli mit ins Wohnzimmer.
Noah stellte sich feierlich in die Mitte des

Raumes. „Ich kann das Zimmer größer zaubern", verkündete er.

Juli schüttelte den Kopf. „Glaub ich nicht!"

„Ich beweise es dir." Noah machte die Augen zu und stellte sich das Wohnzimmer größer und schöner vor. Als er die Augen wieder öffnete, bekam Juli vor lauter Staunen den Mund nicht mehr zu.

„Hey! Du kannst wirklich zaubern. Das will ich auch können. Zeig mir, wie es geht."

Noah verriet ihr sein Geheimnis. Juli machte es genauso, wie Noah es ihr gesagt hatte.

„Es klappt nicht!", rief sie enttäuscht.

Noah tröstete Juli. „Vielleicht klappt es ja später. Wollen wir jetzt auf den Dachboden?"

Gleich war Juli wieder gut gelaunt. „Ja!", sagte sie und rannte voraus.

Ist da wer?

Auf der Treppe blieb
Noah ein Stück hinter Juli
zurück. Er musste an das Rumpeln
denken und an die Schritte mitten in der
Nacht. Wer versteckte sich dort oben auf
dem Dachboden? Ein Gespenst? Oder
ein Einbrecher? Noah bekam Gänsehaut
auf den Armen. Vielleicht sollten sie lieber
nicht nachsehen ...

Plötzlich blieb Juli auf dem Absatz stehen.
„Pst! Warte mal."

Sie hörten, wie Mama und Papa unten im Flur miteinander redeten.

„Die Kartons werden einfach nicht weniger!", stöhnte Mama. „Wir müssen noch so viel auspacken und in die Regale einräumen."

„Es ist wirklich viel", stimmte Papa zu.

„Wo sind eigentlich Noah und Juli? Sie könnten uns ein bisschen helfen, dann würde es schneller gehen."

„Gute Idee", sagte Mama.

Noah schüttelte heftig den Kopf. Das war überhaupt keine gute Idee! Juli kniff die Augen zusammen und blieb auf der Treppe stehen.

Noah wurde ungeduldig. „Wir müssen weiter!", drängte er.

Juli machte die Augen wieder auf. „Ich komm ja schon."

Da hörten sie Mama sagen: „Ach, nein!

Lassen wir Noah und Juli spielen. Das
schaffen wir schon alleine, und später
kommen ja unsere Freunde zum Helfen."
Noah stupste Juli an. „Toll, dass Mama es
sich doch noch anders überlegt hat!"
Juli grinste nur und lief weiter.
Bald waren sie oben. Spinnweben klebten
an der Holztür zum Dachboden. Juli
wischte sie schnell weg.
„Ich mach auf", flüsterte
Noah. „Wenn es ein
Einbrecher ist, schreien
wir einfach ganz laut
und verjagen ihn."
Juli kicherte.
„Ja, das ist gut."

Langsam drückte Noah die Klinke nach unten. Die Tür knarrte. Puh, es war ganz schön heiß und stickig hier oben! Auf dem Boden lag ein dicker, staubiger Teppich. Hinter der Tür waren Kisten gestapelt. „Die Luft ist rein", flüsterte Noah. „Niemand zu sehen. Kein Einbrecher."

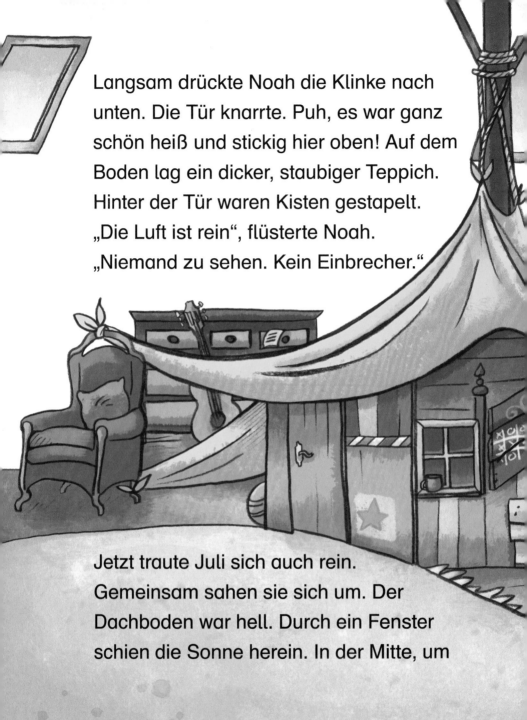

Jetzt traute Juli sich auch rein. Gemeinsam sahen sie sich um. Der Dachboden war hell. Durch ein Fenster schien die Sonne herein. In der Mitte, um einen Dachbalken herum, stand etwas Merkwürdiges. War es ein Zelt? Eine Höhle? Ein Haus?

Noah und Juli gingen näher hin. Da hatte sich jemand aus alten Möbeln und Kisten ein Spielhaus gebaut. Außen waren die Wände bunt angemalt. Noah lugte durch einen Spalt. Innen gab es ein Bett, eine Kommode und ein winziges Regal mit Spielsachen.

„Schau mal, da kann man eine Tür
aufmachen", sagte Juli. „Komm, es ist
total gemütlich hier drin."
Noah zögerte erst, dann setzte er sich
neben Juli aufs Bett. Es war wirklich
toll, wie in einer Höhle, und schön kühl.
Seltsam, wo es doch sonst auf dem
Dachboden so warm war … Plötzlich
hatte Noah ein komisches Gefühl. Als ob
außer ihm und Juli noch jemand hier war.

Da entdeckte er auf der Kommode eine kleine Figur aus Porzellan. Einen Jungen mit blondem Haar. Er trug Kniebundhosen und eine karierte Mütze. Noah berührte die Figur ganz leicht. Plötzlich bewegte sie sich!

Armer Heinrich

Die Figur drehte sich, erst langsam, dann
schneller. Während sie herumwirbelte,
wurde sie immer größer. Plötzlich stoppte
sie und kam zur Ruhe. Ein Junge stand
vor Noah und Juli, mit roten Wangen
und glänzenden Augen. Er hob die
rechte Hand, winkte und lächelte ihnen
freundlich zu.

Noah und Juli rückten auf dem Bett ganz eng zusammen. Vor Schreck brachten sie kein Wort heraus.

„Keine Angst!", sagte der Junge. „Es ist alles gut. Ich bin Heinrich und freue mich sehr, dass ihr gekommen seid."

„Bist ... bist du ein Geist?", fragte Noah.

„Hast du in der Nacht so viel Lärm gemacht?", wollte Juli wissen.

Heinrich wurde rot. „War ich zu laut? Das tut mir leid! Ich wollte euch nicht wecken. Ja, ich bin ein Geist und ich kann leider nicht anders. Seit 55 Jahren muss ich jeden Freitag um Mitternacht spuken."

Noah starrte Heinrich an. Einen Geist hatte er sich immer ganz anders vorgestellt. Bleich und durchsichtig, mit einem Bettlaken als Kleid. Heinrich sah ganz anders aus, so lebendig! Wie ein ganz normaler Junge aus Noahs Klasse. Heinrich setzte sich auf die Kommode und baumelte mit den Beinen. „Ich bin wirklich sehr froh, dass ihr gekommen seid. Ich brauche nämlich dringend eure Hilfe." „Warum brauchst du Hilfe? Was ist passiert?", fragte Noah.

Heinrich seufzte. „Das ist eine lange, traurige Geschichte. Wollt ihr sie wirklich hören?"

„Ja!", riefen Noah und Juli gleichzeitig.
Heinrich holte tief Luft. „Also: Ich
wurde vor 125 Jahren geboren. Damals
waren die Lehrer noch sehr streng.
Mein Hauslehrer, Herr Schimmel, war
besonders eklig. Bei ihm musste ich ganz
viel auswendig lernen. Am schlimmsten
war der Benimm-Unterricht am Freitag."
Heinrich legte seine Stirn in Falten und
machte den Hauslehrer nach. „Benimm
dich, Heinrich! Halte dich gerade. Nein,
du darfst jetzt nicht spielen, du bleibst still
sitzen!"

Noah und Juli mussten lachen, doch als
sie Heinrichs trauriges Gesicht sahen,
wurden sie schnell wieder ernst.

„Beim kleinsten Fehler hat Herr Schimmel
mich in eine dunkle Kammer geschickt.
Dort musste ich eine Stunde lang bleiben.
Danach hat er oft zu mir gesagt: ‚Du
wirst mir später noch mal dankbar sein.
Du wirst für immer und ewig an mich
denken!'"

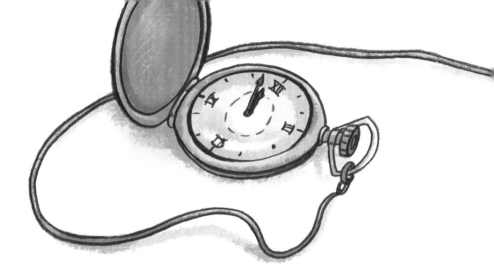

Noah rief empört: „So ein fieser Mistkerl!"
Heinrichs Augen funkelten zornig. „Ja,
das war er. Leider ist sein Fluch in
Erfüllung gegangen. Seither muss ich
jeden Freitagmorgen von elf bis zwölf
in die dunkle Kammer zurück und um
Mitternacht spuken. Das Zimmer ist
übrigens noch kleiner geworden und
hat heute nicht mal mehr ein Fenster."
Heinrich beschrieb die Kammer genauer.
Juli erinnerte sich an ihren ersten
Rundgang durchs Haus. „Das muss die
Abstellkammer im ersten Stock sein!"

Heinrich nickte. „Bitte erlöst mich von diesem Fluch! Ich habe euch ausgewählt und euch magische Kräfte geschenkt. Eine Stunde lang könnt ihr sie noch nutzen, bevor sie verschwinden. Beeilt euch! Zaubert die Abstellkammer größer, bis das Fenster wieder auftaucht. Dann kann ich hinausklettern und davonschweben. Wenn ihr mich bis zwölf Uhr mittags nicht befreit habt, muss ich für immer und ewig weiterspuken!" Noah sah auf seine Armbanduhr. Es war halb zwölf. Sie hatten nur noch dreißig Minuten!

Hilfe, die Zeit läuft ab!

Juli streckte Heinrich die Hand hin.
„Wir helfen dir sofort."
„Wir werden alles tun, um dich zu
erlösen", versprach Noah und kletterte
aus dem Spielhaus.
Noah und Juli düsten los, raus aus dem
Dachboden und die Treppe hinunter.
Plötzlich hörten sie Mama und Papa
reden. Sie gingen gerade die Treppe
hoch. Noah raufte sich die
Haare. Die Eltern konnten sie
jetzt überhaupt nicht brauchen!

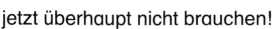

„Wir müssen Noah und Juli suchen",
sagte Mama. Ihre Stimme klang besorgt.
„Vielleicht spielen sie irgendwo und haben
nicht gehört, dass wir nach ihnen gerufen
haben", vermutete Papa. „Wir werden sie
schon finden."
Stufe für Stufe kamen die beiden näher.
„Was machen wir denn jetzt?", flüsterte
Noah.

Juli antwortete nicht. Sie hatte die Augen
geschlossen und stand einfach nur so da.
„Schnell!", zischte Noah. „Wir müssen uns
verstecken."
Juli rührte sich noch immer nicht vom
Fleck. Noah wartete ein paar Sekunden
zu lange und dann war es zu spät: Mama
und Papa kamen ihnen direkt entgegen!
Noah überlegte verzweifelt, was er zu
ihnen sagen sollte. Da lief Mama an ihm
vorbei. Ihre Hand streifte seinen Arm, aber
sie schien ihn nicht zu bemerken.

„Äh … Schatz? Was wollten wir eigentlich hier oben?", sagte sie zu Papa.

„Keine Ahnung", antwortete er. „Komm, lass uns wieder in den Keller gehen. Da müssen wir noch ein Regal aufstellen."

Mama und Papa kehrten um und liefen ein zweites Mal an Noah und Juli vorbei.

„Die sehen uns gar nicht!", murmelte Noah verblüfft. „Wir sind Luft für die. Wie kann das sein?"

Juli grinste. „Das war ich. Erzähl ich dir später. Jetzt läuft uns die Zeit davon."

Noah sah Juli verwundert an. Dann rannte er mit ihr in den ersten Stock hinunter. In der Abstellkammer bekam er auf einmal Magenschmerzen. „Mann, ist es hier düster! Und dort musste Heinrich jeden Freitag rein. Aber hoffentlich nie, nie wieder!"

Noah machte die Augen zu und stellte

sich vor, dass die Abstellkammer größer
wurde. Mindestens zweimal so groß
wie das gemütliche Spielhaus auf dem
Dachboden. Aber das war gar nicht
so einfach. Er musste sich viel mehr
anstrengen als bei der Küche und beim
Wohnzimmer.

Noah kniff die Augen fester zusammen
und versuchte es noch mal. Diesmal
stellte er sich vor, dass er die Wände der
Abstellkammer bunt anmalte. Eine Wand
gelb, die andere rosa und die restlichen
beiden Wände hellgrün mit roten Punkten.
Noah sah eine Sommerwiese vor sich mit
roten Blumen. Er hörte Vögel zwitschern
und spürte das Gras unter seinen Füßen.

Noah lächelte. Seine Magenschmerzen
waren weg. Vorsichtig blinzelte er. Die
Abstellkammer war viel größer und heller
geworden. Sie hatte jetzt ein Fenster. Es
war zwar nicht besonders groß, aber die
Sonne konnte hereinscheinen.

Juli klatschte begeistert in die Hände. „Es
hat geklappt! Ich hole schnell Heinrich."

„Bin schon da." Heinrich war lautlos in die
Abstellkammer geschwebt. Er sah sich
um und plötzlich glitzerten Tränen
in seinen Augen. „Die Kammer macht mir
gar keine Angst mehr. Ich muss nie mehr
Angst haben! Ihr seid so toll. Wie soll ich
euch bloß danken?"

„Du brauchst dich nicht bedanken", sagte Noah. „Du musst dich beeilen. Es ist schon fünf vor zwölf!" Er klopfte mit den Fingern auf seine Uhr.

Heinrich strahlte. „Und jetzt weiß ich auch, wie ich euch danken kann! Ich lasse euch zwei Geschenke da, damit ihr mich nicht so schnell vergesst."

„Wir werden dich nie vergessen", versprach Juli. „Wir vermissen dich jetzt schon."

„Auf Wiedersehen", sagte Noah. Dann verbesserte er sich: „Leb wohl, Heinrich!" Heinrich lächelte ihnen ein letztes Mal zu. „Danke, Noah. Danke, Juli. Lebt wohl!" Er drehte sich um und ließ die Beine aus dem Fenster baumeln. Dann breitete er die Arme aus und flog los. Leicht wie

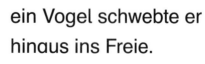

ein Vogel schwebte er hinaus ins Freie.

Noah und Juli liefen zum Fenster und winkten ihm nach. Einmal drehte Heinrich sich noch um und winkte zurück. Dann flog er weiter und stieg immer höher in den Himmel hinauf. Bald war er nur noch so groß wie ein Luftballon, dann nur noch ein leuchtender Punkt vor einer weißen Wolke. Und irgendwann war auch der leuchtende Punkt verschwunden.

Juli ließ ihre Hand sinken. „Ich freu mich so für Heinrich, und ich bin so traurig. Geht das eigentlich beides gleichzeitig?"

Noah musste nicht lange nachdenken.
„Ich glaube, das geht. Bei mir ist es nämlich genauso." Er drehte sich zu Juli um. „Komm! Wir suchen unsere Geschenke."

Noah und Juli durchsuchten das Haus von oben bis unten. Sie sahen in jedem Zimmer nach, in jeder Ecke und in jedem Umzugskarton. Aber sie fanden kein Geschenk.

„Was sucht ihr denn?", wollte Mama wissen.

„Vielleicht können wir euch helfen", sagte Papa.

Noah und Juli schüttelten die Köpfe. „Wir haben nur gespielt", behauptete Juli.

Noah und Juli gingen in den Garten.

Sie setzten sich ins Gras und machten eine Pause.

Plötzlich fiel Noah etwas ein. „Wie hast du es eigentlich geschafft, dass Mama und Papa uns auf der Treppe in Ruhe gelassen haben?"

Juli legte sich auf den Rücken. „Das war ganz einfach. Ich hab mir gewünscht, dass sie gerade nicht an uns denken und uns auch nicht sehen."

Noah pfiff durch die Zähne. „Dann kannst du ja jetzt auch zaubern!"

„Konnte", verbesserte Juli. „Heinrich hat doch gesagt, dass unsere magischen Kräfte weg sind, wenn wir ihn erlöst haben."

„Das ist echt schade!", fand Noah. „Ich wollte nämlich gerade unser Gartenhaus größer zaubern." Er machte die Augen zu und versuchte es trotzdem. Als er sie wieder öffnete, war das Gartenhaus tatsächlich größer. „Ich weiß, was Heinrich uns geschenkt hat!", rief Noah aufgeregt. „Er hat uns geschenkt, dass wir immer noch zaubern können!"

Juli sprang auf die Füße. „Meinst du wirklich? Warte mal, ich probiere es auch aus."

Da kam Papa aus
dem Haus. „Noah, Juli,
kommt ihr mal her?" Er lief auf sie zu,
doch plötzlich kratzte er sich am Kopf und
kehrte um. „Was wollte ich eigentlich im
Garten?"

Noah und Juli sahen sich an und lachten.
„Wollen wir im Gartenhaus spielen?",
schlug Noah vor. „Das ist jetzt so schön
groß."

Juli nickte. „Au ja! Ich hol schnell meine
Monsterpuppen. Soll ich Quirin auch
mitbringen?"

„Klar", sagte Noah. „Dann zeig ich dir
den Zaubertrick, wie man ein Kaninchen
verschwinden lässt."

Quirin (sprich: Kwirin)
Name von Noahs Kaninchen

Zaubershow (sprich: Zauberschou)
Eine Vorführung, bei der gezaubert wird.

Plüschtier
Kuscheltier

Architektur
Baukunst

Kreatur
Lebewesen

Bauernschrank
Ein Schrank, wie er früher auf Bauernhöfen
zu finden war: Aus echtem Holz
(deshalb sehr schwer) und kunstvoll geschnitzt
und manchmal bemalt.

Chaotisch (sprich: Kaohtisch)
Ungeordnet, wirr

Kniebundhosen
Diese Hosen wurden früher oft getragen:
Sie reichen bis zu den Knien und werden
dort mit einem Bündchen geschlossen.

Magische Kräfte
Zauberkräfte

Magenschmerzen
Bauchweh, hier vor Aufregung

Leserabe Leserätsel

Die wichtigsten Fragen zur Geschichte:
Wer · Was · Wo · Wie · Warum

Was verschwindet am Samstagmorgen?
☐ Noahs Zauberhut **S**
☐ Noahs Kaninchen **M**

Was passiert beim Einzug?
☐ Der Bauernschrank passt nicht
ins Schlafzimmer **A**
☐ Der Bauernschrank passt nicht in den Flur **E**

Was hören Noah und Juli in der Nacht?
☐ Ein Heulen **R**
☐ Ein Rumpeln **G**

Wo entdecken Noah und Juli den Geist?
☐ In der Abstellkamme **N**
☐ Auf dem Dachboden **I**

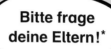

Bitte frage deine Eltern!*

Wann muss der arme Heinrich immer spuken?

☐ Jeden Samstag   **O**
☐ Jeden Freitag   **E**

Lösungswort:

☐ ☐ ☐ ☐ ☐

Alle Fragen richtig beantwortet?

Dann ist es Zeit für die Rabenpost.
Wenn du das Lösungswort herausgefunden hast,
kannst du tolle Preise gewinnen!

Gib es auf der 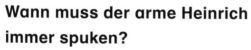 Website ein

▶ www.leserabe.de

oder mail es uns ▶ leserabe@ravensburger.de

Ravensburger Bücher

Lesen lernen mit Spaß!
In drei Stufen vom Lesestarter zum Überflieger

ERZ_15_007

www.leserabe.de